een schat voor oom

Ann Lootens
een schat voor oom
© 2007 Clavis Uitgeverij, Hasselt – Amsterdam
Omslagillustratie: Marja Meijer
Trefw.: AVI 2, verliefd zijn
NUR 191, 281, 282, 287
ISBN 978 90 448 0746 2
D/2007/4124/051

www.clavis.be
www.clavisbooks.nl

Ann Lootens

een schat voor oom

met illustraties
van Marja Meijer

Clavis

oom ligt op de bank.

met de krant op zijn hoofd.

gr… gr… doet hij.

en hij fluit ook.

hihi, doet fien.

sem vindt het ook leuk.

kijk eens naar zijn neus.

en naar zijn mond.

net de wolf.

maar de wolf hoort hen niet.

hij slaapt.

en hij fluit.

blaas eens in zijn oor!

fien doet het zacht.

knijp eens in zijn neus!

sem doet het zacht.

nu ... blaas en knijp!

in een keer!

ze doen het.

huh! roept oom.

is er wat?

moord? brand?

nee, zegt fien.

ik heb een vraag.

heb jij al een schat? vraagt fien.

oom kijkt op.

een liefje?

fien knikt.

nee, zegt oom.

ik vond er nog geen.

wa!

wat ben ik moe!

sem stoot fien aan.

hoe vind je een schat?

fien kijkt hem aan.

weet je dat dan niet?

je hoofd slaat op hol, zegt fien.

je hoort iets.

en je gaapt …

hoe weet je dat? vraagt sem.

van in de film, zegt fien.

wa! doet oom.

er rolt een traan uit zijn oog.

dut nog maar wat, zegt fien.

weet je wat?

ik zoek een schat voor hem.

doe je mee, sem?

hier, zegt fien.

en ze ploft een pak neer.

wat is dat? vraagt sem.

een krant of twee, zegt fien.

en ook nog een blad.

wie weet vind je een schat.

zoek maar.

sem zoekt en zoekt.

en ja, hoor.

ik heb het! roept hij.

waar? vraagt fien.

hier, wijst sem.

hij leest traag:

kom en proef.

bij ons vindt u een schat aan vlees:

kip, haas, lam, rund, wild …

noem maar op.

o nee, zucht fien.

dat is het niet!

stel je voor:

oom die een kip kust.

of met een lam danst.

wat een mop!

pech voor oom, zucht sem.

ik vind niets.

wat sneu, zegt fien.

het is stil.

maar dan heeft sem een plan.

ik weet er wel raad mee.

wacht maar, zegt hij.

hij loopt de trap op en af.

en hij komt weer met …

… een dik boek!

het is de gids, knikt sem.

je vindt er heel wat in.

oom ligt nog op de bank.

hij slaapt.

en hij fluit.

plots gaat de bel.

huh! doet oom.

wie is dat nou?

ik weet het niet, zegt sem.

ik ook niet, zegt fien.

oom loopt naar de deur.

dag, zegt een stem.

ik ben de schat.

babs de schat.

word jij mijn man?

help! roept oom.

babs kijkt hem lief aan.

u vroeg toch of ik kwam?

dat zal wel, roept oom.

hij ploft de deur dicht.

wat is hier aan de hand?

ik weet het niet, zegt sem.

ik ook niet, zegt fien.

echt niet.

mm, gromt oom.

ik dut nog wat.

dan gaat de bel weer.

dag, zegt een stem.

ik ben truus de schat.

wil je met mij uit?

neen, gilt oom.

hij ploft de deur dicht.

wat is hier aan de hand?

ik weet het niet, zegt sem.

ik ook niet, zegt fien.

echt niet.

maar dan gaat de bel weer.

oom loopt naar de deur.

jij bent toch geen schat?

neen hoor! zegt een stem.

het is eef.

ze woont naast oom.

hebt u een ei voor mij?

oom kijkt eef aan.

wat ziet ze er lief uit.

een ei, een ei, zegt hij.

hier heb je een doos vol.

en hij gaapt haar aan.

nu hoort hij iets, zegt fien.

mm, zegt sem.

net als in de film.